Wok
{Collection}

Maya Barakat-Nuq

Photographies : Caroline Faccioli
Stylisme : Manuela Chantepie

hachette
PRATIQUE

- Sommaire -

Les mijotés

Les plats venus d'ailleurs

À la dernière minute

Poulet au citron et au miel

Pour **4 personnes** | Préparation **15 minutes**
Cuisson **20 minutes** | Niveau **très facile**

1 citron non traité | 4 filets de poulet (120 à 150 g chacun) | 1 oignon
3 cuil. à soupe de miel | 1 cuil. à café de coriandre en poudre | 10 cl de
bouillon de volaille | 2 cuil. à soupe d'huile d'olive | Sel, poivre

Pressez le citron et prélevez le zeste à valeur d'1 cuil. à soupe. Réservez. Faites chauffer le wok à température moyenne.

Découpez le poulet en fines lamelles. Épluchez et émincez l'oignon.
Faites revenir le tout au wok dans l'huile d'olive en remuant constamment pour faire dorer tous les côtés. Salez et poivrez.

Dans un bol, mélangez le miel, le jus et le zeste de citron, et la coriandre. Versez dans le wok. Faites cuire 5 min à feu doux en remuant pour que les lamelles de poulet s'imprègnent bien du mélange. Arrosez de bouillon et laissez cuire 10 min environ.

Servez bien chaud avec du riz blanc et/ou des légumes à la vapeur.

Variantes | Ajoutez des légumes verts (petits pois, haricots mange-tout, etc.) cuits *al dente* 5 min avant la fin de la cuisson. Vous pouvez aussi saupoudrer de persil ou de coriandre frais.

Suggestion de menu | En entrée, servez une salade de carottes au jus d'orange et, en dessert, une crème caramel.

Mitonnée de veau
à la provençale

Pour **5 à 6 personnes** | Préparation **15 minutes**
Cuisson **30 minutes** | Niveau **très facile**

1 kg de noix de veau | 2 gousses d'ail | 2 oignons | 2 branches de céleri
1 branche de thym | 2 feuilles de laurier | 1 cuil. à soupe de fond de veau
3 tomates | 3 cuil. à soupe d'huile de tournesol | Sel, poivre

Coupez la viande en cubes de 2 × 2 cm environ. Réservez.

Épluchez l'ail et les oignons, et émincez-les très finement. Pelez les branches de céleri et hachez-les.

Faites chauffer l'huile dans le wok. Jetez-y l'ail, l'oignon et le céleri. Ajoutez le thym et le laurier. Salez, poivrez et faites cuire 2 à 3 min tout en mélangeant. Ajoutez les morceaux de viande et continuez à remuer pour les faire dorer de tous les côtés. Saupoudrez de fond de veau. Versez un verre d'eau.

Enlevez le pédoncule des tomates et coupez celles-ci en dés avant de les ajouter au wok. Couvrez et laissez cuire à feu moyen 20 min en vérifiant le niveau du liquide et en en ajoutant au besoin.

Retirez la branche de thym et les feuilles de laurier avant de servir avec du riz nature ou des pâtes.

Variante | Vous pouvez remplacer l'eau par du vin blanc sec et ajouter 1 cuil. à soupe de concentré de tomates.

Suggestion de menu | En entrée, prévoyez une salade de mâche à la sauce vinaigrette et noix et, en dessert, un moelleux au chocolat.

Fricassée d'escargots aux champignons

Pour **4 personnes**
Préparation **15 minutes**
Cuisson **20 minutes**
Niveau **très facile**

24 escargots en boîte ou congelés
350 g de champignons de Paris | 20 g
de beurre | 1/2 bouquet de persil
10 cl de vin blanc | 2 cuil. à soupe de
crème fraîche | 2 cuil. à soupe de cognac
2 gousses d'ail | Sel, poivre

Nettoyez soigneusement les champignons et émincez-les. Déposez-les dans le wok avec le beurre, du sel et du poivre, et faites-les revenir jusqu'à ce qu'ils aient rendu toute leur eau.

Ajoutez le persil ciselé, l'ail épluché et écrasé, le vin blanc et les escargots éventuellement coupés en deux s'ils sont trop gros.

Laissez réduire environ de moitié avant d'ajouter la crème fraîche et le cognac. Rectifiez l'assaisonnement si besoin avant de servir.

Bœuf bourguignon au potiron

Pour **4 à 5 personnes**
Préparation **15 minutes**
Cuisson **1 heure 40 minutes**
Niveau **facile**

1 kg de bœuf à braiser | 2 cuil. à soupe
d'huile végétale | 2 oignons | 2 carottes
2 cuil. à soupe de farine | 50 cl de vin
rouge | 50 cl de bouillon de légumes
1 bouquet garni | 1 kg de potiron | Sel,
poivre

Retirez la graisse de la viande et coupez-la en cubes.

Versez l'huile dans le wok et faites sauter les oignons et les carottes, épluchés et coupés en morceaux, et la viande 5 min en remuant. Ajoutez la farine, du sel, du poivre, le vin, le bouillon et le bouquet garni. Laissez mijoter 1 h 30 à feu moyen-doux et à couvert en remuant de temps en temps.

Épluchez, épépinez et coupez le potiron en cubes. Ajoutez-les 10 min avant la fin de la cuisson. Servez avec des pommes de terre vapeur.

Haricots de porc au sirop d'érable

Pour **4 personnes** | Préparation **15 minutes**
Marinade **1 heure** | Cuisson **20 minutes** | Niveau **très facile**

2 filets mignons de porc | 2 cuil. à soupe de sirop d'érable | 2 cuil. à soupe d'huile d'olive | 2 cuil. à soupe de vinaigre balsamique | 4 feuilles de sauge 2 gousses d'ail | 20 cl de bouillon de volaille | 200 g de haricots rouges cuits Sel, poivre

Coupez les filets mignons en lamelles ou en cubes de taille moyenne. Mettez-les dans un saladier.

Dans un petit bol, mélangez le sirop d'érable, l'huile d'olive et le vinaigre balsamique. Arrosez la viande du mélange. Ajoutez les feuilles de sauge et l'ail écrasé. Laissez mariner à température ambiante pendant 1 h.

Versez le contenu du saladier dans le wok bien chaud et saisissez la viande pendant 5 min en remuant. Ajoutez le bouillon, salez, poivrez et laissez mijoter doucement pendant 15 min.

Cinq minutes avant la fin de la cuisson, incorporez les haricots rouges cuits juste pour les réchauffer. Servez avec des endives ou du fenouil braisés.

Variantes | Remplacez les haricots rouges par des haricots blancs ou des flageolets. Pour une version plus allégée, pensez aux haricots verts.

Suggestion de menu | Commencez le repas par un petit carpaccio de poisson et terminez par une soupe de fruits à la menthe.

Roulade de poulet vapeur et sauce au foie gras

Pour **4 personnes** | Préparation **15 minutes**
Cuisson **20 minutes** | Niveau **difficile**

4 larges escalopes de poulet | 2 échalotes | 250 g d'épinards cuits
1 cuil. à soupe de persil haché | 2 carrés de Kiri | 50 cl de bouillon de volaille
Quelques branches de persil | 2 cuil. à soupe d'huile de tournesol | Sel, poivre

Sauce | 125 g de foie gras mi-cuit | 1 échalote | 10 g de beurre | 15 cl de crème liquide | 2 cuil. à soupe de cognac | Sel, poivre

Matériels | Piques en bois | Panier vapeur

Épluchez et hachez les échalotes. Faites revenir deux échalotes au wok dans l'huile avec du sel et du poivre. Ajoutez les épinards cuits. Mélangez pendant 5 min. Ajoutez le persil haché.

Étalez les escalopes de poulet et tartinez-les de Kiri et de 1 cuil. d'épinards chacune. Roulez-les et faites-les tenir avec deux piques en bois. Placez-les dans un panier vapeur. Dans le wok, amenez à ébullition le bouillon agrémenté de branches de persil. Faites cuire les roulés de poulet à la vapeur pendant 20 min à couvert.

Préparez la sauce. Écrasez la moitié du foie et coupez le reste en copeaux. Faites revenir l'échalote restante dans le beurre. Ajoutez la crème, le foie gras écrasé et le cognac. Salez, poivrez et amenez à ébullition. Versez sur les roulés et décorez avec les copeaux de foie gras réservés.

Variantes | Pour les grandes occasions, ajoutez des morilles ou de la truffe dans la sauce.

Suggestion de menu | Commencez votre repas par un velouté de homard et finissez avec une tarte aux fruits.

Ragoût de courgettes et de pois chiches

Pour **4 personnes**
Préparation **15 minutes**
Cuisson **20 minutes**
Niveau **très facile**

1 kg de courgettes | 200 g de pois chiches cuits | 2 gousses d'ail | 1 oignon 1/2 cuil. à café de quatre-épices | 2 cuil. à soupe de vinaigre de cidre | 8 branches de menthe fraîche | 3 cuil. à soupe d'huile d'olive | Sel, poivre

Brossez et rincez les courgettes sans les éplucher. Coupez-les en rondelles.

Faites rissoler l'ail et l'oignon émincés au wok dans l'huile chaude. Salez et poivrez. Ajoutez les courgettes et faites-les sauter 5 min en remuant. Ajoutez le quatre-épices, le vinaigre et 1/4 de verre d'eau. Couvrez et laissez mijoter 5 min. Ajoutez les pois chiches cuits et la menthe rincée et ciselée. Faites cuire 10 min en ajoutant un peu d'eau si nécessaire.

Servez chaud, tiède ou froid avec des viandes ou poissons grillés.

Potée à l'italienne

Pour **4 personnes**
Préparation **15 minutes**
Cuisson **25 minutes**
Niveau **très facile**

1 petit chou rouge | 1 pomme | 2 gousses d'ail | 1 oignon | 200 g de lardons 3 feuilles de sauge | 3 feuilles de laurier 1 cube de bouillon de viande | 2 cuil. à soupe de vinaigre balsamique | 2 cuil. à soupe d'huile d'olive | Sel, poivre

Retirez les premières feuilles du chou, émincez les autres et éliminez le cœur. Rincez les feuilles conservées. Épluchez la pomme, épépinez-la et coupez-la en dés. Réservez.

Faites revenir l'ail et l'oignon hachés au wok dans l'huile. Ajoutez les lardons et faites-les brunir. Ajoutez le chou, la sauge, le laurier et la pomme.

Salez, poivrez et émiettez le cube de bouillon. Versez un verre d'eau et le vinaigre. Couvrez et laissez mijoter 20 min en mélangeant de temps en temps.

Servez avec des saucisses ou une volaille.

Navarin d'agneau aux légumes nouveaux

Pour **4 personnes** | Préparation **25 minutes**
Cuisson **45 minutes** | Niveau **facile**

1,2 kg d'épaule d'agneau en morceaux de taille moyenne | 300 g de navets
300 g de carottes | 300 g de pommes de terre | 2 oignons verts | 2 tomates
2 cuil. à soupe de farine | 1 bouquet garni | 1 cuil. à café de sucre en poudre
200 g de petits pois écossés | 2 cuil. à soupe d'huile d'olive | Sel, poivre

Nettoyez les navets, les carottes et les pommes de terre, puis épluchez-les et coupez-les en morceaux de taille moyenne. Coupez les oignons en rondelles et les tomates en petits dés.

Faites chauffer l'huile dans le wok, puis faites revenir les morceaux de viande pour les faire dorer. Salez et poivrez. Ajoutez les oignons et mélangez. Saupoudrez de farine, puis mouillez avec 2 verres d'eau. Ajoutez le bouquet garni, couvrez et faites mijoter pendant 30 min.

Ajoutez les navets, les carottes, les pommes de terre et le sucre, et laissez cuire 5 min. Ajoutez les petits pois à la préparation et poursuivez la cuisson 5 à 10 min pour des légumes plus ou moins fermes selon votre goût. Servez bien chaud.

Variante | Pensez à ajouter à la préparation un peu de vin blanc, en réduisant la quantité d'eau, afin de parfumer la viande.

Suggestion de menu | Servez des asperges sauce mousseline en entrée et, en dessert, un aspic de fraises avec de la chantilly ou de la glace à la vanille.

Boulettes de porc
aux graines de pavot

Pour **4 personnes** | Préparation **15 minutes**
Cuisson **20 minutes** | Niveau **facile**

750 g d'échine de porc maigre | 1/2 bouquet de persil plat | 1 gros oignon
2 cuil. à soupe de farine | 2 cuil. à soupe de graines de pavot | Sel, poivre

Sauce | 350 g de champignons de Paris | 4 cuil. à soupe d'huile d'arachide
25 cl de bouillon de légumes | 1 cuil. à café de paprika en poudre | 25 cl de
crème fleurette | Sel, poivre

Équeutez, rincez et hachez finement le persil. Épluchez et hachez l'oignon.
Hachez la viande. Mélangez le tout. Salez et poivrez. Confectionnez des
boulettes de la grosseur d'une noix.

Roulez les boulettes dans la farine, puis dans les graines de pavot en pressant
pour les faire adhérer. Faites chauffer la moitié de l'huile dans le wok, et
faites-y dorer les boulettes. Réservez hors du wok.

Préparez la sauce. Nettoyez et émincez les champignons. Ajoutez le reste
d'huile dans le wok. Déposez les champignons, salez, poivrez, puis faites-les
sauter jusqu'à ce qu'ils rendent toute leur eau. Remettez les boulettes dans le
wok, versez le bouillon et laissez cuire 10 min. Ajoutez le paprika, la crème et
rectifiez l'assaisonnement si nécessaire.

Servez bien chaud avec du riz blanc ou des pâtes.

Variante | Vous pouvez ajouter des rondelles de pommes de terre
et de carottes cuites dans la sauce.

Suggestion de menu | En entrée, pensez à une salade russe avec
des légumes râpés et du hareng et, en dessert, à un trifle exotique.
Dépaysement assuré !

Wok de quinoa et de brocolis

Pour **4 personnes**
Préparation **15 minutes**
Cuisson **40 minutes**
Niveau **facile**

250 g de quinoa | 500 g de brocolis
1 l de bouillon de légumes | 1 oignon
1/2 cuil. à café de curcuma en poudre
120 g de bleu ou de roquefort | 8 cerneaux
de noix | 2 cuil. à soupe d'huile de pépins
de raisins | Sel, poivre

Détachez les bouquets de brocolis et rincez-les. Faites-les cuire à la vapeur ou à l'eau bouillante salée pendant 10 min. Ils doivent rester légèrement croquants.

Faites cuire le quinoa dans le bouillon près de 25 min jusqu'à ce qu'il soit fondant. Égouttez.

Épluchez et émincez l'oignon. Faites-le revenir au wok dans l'huile. Ajoutez les brocolis, puis le quinoa. Saupoudrez de curcuma, salez et poivrez.

Coupez le fromage en morceaux et concassez les noix. Ajoutez-les dans le wok et mélangez. Servez bien chaud.

Lentilles et riz parfumés aux quatre épices

Pour **4 personnes**
Préparation **15 minutes**
Cuisson **50 minutes**
Niveau **très facile**

250 g de lentilles vertes | 125 g de riz long | 2 gros oignons | 1 carotte | 4 cuil. à soupe d'huile d'olive | 1/2 cuil. à café de cannelle en poudre | 1/2 cuil. à café de cumin en poudre | 1/2 cuil. à café de clous de girofle en poudre | Sel, poivre

Faites brunir 1 oignon émincé au wok dans 3 cuil. à soupe d'huile d'olive. Retirez et réservez.

Versez la carotte et 1 oignon hachés, puis le reste d'huile dans le wok. Salez, poivrez et faites sauter 2 min. Versez 1 l d'eau. Ajoutez les lentilles et les épices, et faites cuire à feu moyen et à couvert pendant 30 min.

Ajoutez le riz et laissez cuire 10 à 15 min. Servez chaud ou tiède parsemé d'oignons frits.

Morue aux coquillages façon brandade

Pour **4 personnes** | Préparation **30 minutes**
Trempage **24 heures** | Cuisson **25 minutes** | Niveau **facile**

200 g de morue | 300 g de pommes de terre | 1 l de moules | 1/2 l de coques
2 gousses d'ail | 10 cl de crème fleurette | 4 cuil. à soupe d'huile d'olive
Sel, poivre

Faites dessaler la morue dans un saladier d'eau froide pendant 24 h.

Égouttez la morue, puis effeuillez-la. Rincez les pommes de terre et épluchez-les. Coupez-les en morceaux de taille moyenne. Grattez les moules et les coques, puis plongez-les dans une grande bassine d'eau froide. Éliminez les coquillages qui flottent à la surface ou qui restent béants. Épluchez et écrasez l'ail.

Faites chauffer l'huile d'olive dans le wok, puis déposez les pommes de terre. Ajoutez les coquillages et remuez. Ajoutez l'ail, salez légèrement et poivrez. Couvrez et laissez cuire 15 min environ, en mélangeant de temps en temps, jusqu'à ce que les coquillages commencent à s'ouvrir. Ajoutez la morue effilochée, puis la crème fleurette et mélangez pour bien réchauffer le tout. Servez de suite.

Variante | Ajoutez une ou deux carottes en rondelles et des champignons émincés.

Suggestion de menu | Servez en plat unique après un apéritif consistant et terminez avec une tarte Tatin.

Fricassée légère de lapin

Pour **4 personnes** | Préparation **15 minutes**
Cuisson **40 minutes** | Niveau **très facile**

1 lapin | 1 échalote | 300 g de champignons de Paris | 1 branche de thym
2 feuilles de laurier | 1 cuil. à café de cumin en graines | 1 cube de bouillon
de volaille | 20 cl de bière | 20 cl de crème fleurette | 1 cuil. à soupe de
farine | 2 cuil. à soupe d'huile de tournesol | Sel, poivre

Coupez le lapin en quatre ou huit morceaux. Épluchez et émincez l'échalote.
Faites-la dorer au wok quelques minutes dans l'huile. Nettoyez et rincez les
champignons. Émincez-les et ajoutez-les au wok. Faites cuire pendant 5 min
à feu moyen.

Ajoutez les morceaux de lapin, le thym, le laurier et le cumin. Salez, poivrez et
saupoudrez de farine. Faites bien dorer la viande de tous les côtés. Émiettez le
cube de bouillon au-dessus du wok, ajoutez la bière et 10 cl d'eau. Couvrez et
laissez mijoter pendant environ 30 min.

Ajoutez la crème fleurette. Laissez bouillir quelques instants et ajustez
l'assaisonnement si nécessaire. Servez bien chaud avec des tagliatelles
fraîches ou du riz nature.

Variantes | Ajoutez 2 tomates coupées en dés et remplacez la bière
par du vin blanc.

Suggestion de menu | En entrée, servez une salade de harengs
aux pommes et terminez le repas avec une bombe glacée.

Bœuf au saté

Pour **4 personnes**
Préparation **10 minutes**
Cuisson **10 minutes**
Niveau **très facile**

600 g de rumsteck | 1 gros oignon
4 cm de racine de gingembre | 3 cuil. à
soupe de sauce soja | 1 cuil. à soupe de
vinaigre de riz | 3 cuil. à soupe de saté
1 cuil. à soupe de fécule de pommes de
terre | 1 poivron vert | 1 poivron rouge
1 piment rouge | 3 cuil. à soupe d'huile
d'arachide

Épluchez et émincez l'oignon. Pelez et râpez le gingembre au-dessus d'un bol. Versez, dans le bol, la sauce soja, le vinaigre de riz, le saté et la fécule. Mélangez.

Émincez les poivrons et coupez le piment en très petits dés. Découpez la viande en fines lamelles.

Faites chauffer l'huile dans le wok et faites revenir les oignons, les poivrons et le piment à feu vif pendant 5 min. Ajoutez la viande et faites sauter 2 min.

Versez la sauce, mélangez et laissez cuire 3 min. Servez très chaud.

Soupe chinoise aux vermicelles de riz

Pour **4 personnes**
Préparation **5 minutes**
Cuisson **10 minutes**
Niveau **très facile**

1/2 bouquet de coriandre fraîche
1 l de bouillon de volaille | 3 œufs
2 cuil. à soupe de fécule de pommes de
terre | 200 g de vermicelles de riz
20 à 25 queues de crevettes décortiquées
12 hacao précuits | 1 cuil. à soupe d'huile
de colza | 4 cuil. à soupe de sauce soja
Poivre

Versez le bouillon dans le wok et portez à ébullition. Ajoutez l'huile de colza et la sauce soja. Versez les œufs crus dans le bouillon et remuez doucement.

Ajoutez les vermicelles, les crevettes, les hacao, la fécule diluée à l'eau. Poivrez. Laissez cuire 2 min. Ajoutez la coriandre.

Retirez du feu et ajoutez un peu de coriandre ciselée. Servez avec le reste de coriandre et la sauce soja.

Émincé de canard sauce cacahuètes

Pour **4 personnes** | Préparation **20 minutes**
Cuisson **20 minutes** | Niveau **très facile**

2 magrets de canard | 150 g de cacahuètes non salées | 2 échalotes
1/2 chou chinois | 250 g de mini-épis de maïs | 10 cl de bouillon de volaille
4 cuil. à soupe de sauce soja | 2 cuil. à soupe de sauce hoisin (sauce sucrée asiatique) | 4 cuil. à soupe d'huile d'arachide | Sel, poivre

Salez et poivrez les magrets de canards. Entaillez leur peau en croisillons sans atteindre la chair. Faites chauffer la moitié de l'huile dans le wok et faites revenir les magrets 5 min côté peau. Videz la graisse, puis faites cuire les magrets 5 min côté chair. Réservez-les dans une assiette.

Concassez grossièrement les cacahuètes. Épluchez et hachez les échalotes. Rincez le chou, éliminez le trognon et coupez-le en fines lanières. Faites chauffer le reste d'huile et faites sauter les échalotes et les lanières de chou pendant 3 min. Ajoutez les mini-épis de maïs, la sauce soja, la sauce hoisin et le bouillon. Salez et poivrez. Laissez mijoter 5 min.

Découpez le magret en fines aiguillettes. Ajoutez-les sur les légumes et parsemez de cacahuètes. Mélangez le temps de réchauffer le tout et servez.

Variantes | Remplacez le magret de canard par du porc, du poulet ou du bœuf et ajoutez un peu de piment à la sauce.

Suggestion de menu | En entrée, servez des nems ou une salade aux pousses de soja et terminez en beauté par un assortiment de glaces aux parfums exotiques.

Salade thaïe chaude au bœuf

Pour **4 personnes** | Préparation **20 minutes**
Cuisson **5 minutes** | Niveau **très facile**

1 salade (laitue ou batavia) | 400 g de rumsteck | 2 échalotes | 1 carotte
1/2 concombre | 1 tomate | 1 cuil. à soupe de menthe hachée | 1 cuil. à
soupe de coriandre hachée | 125 g de pousses de bambou | 1 cuil. à soupe
d'huile de sésame | Sel, poivre

Pour la sauce | 1 gousse d'ail | 1 citron vert | 1 cuil. à soupe d'huile de
sésame | 1 cuil. à soupe de sucre | 2 cuil. à soupe de sauce soja | 2 cuil. à
soupe de nuoc-mâm | 1/2 petit piment rouge

Lavez, essorez et coupez grossièrement la salade. Épluchez les échalotes et la
carotte. Émincez finement les échalotes et râpez la carotte. Lavez le
concombre et la tomate et coupez-les en fines rondelles.

Préparez la sauce. Épluchez et écrasez l'ail. Mélangez le jus du citron vert,
l'huile de sésame, le sucre, un peu de sel, la sauce soja, le nuoc-mâm, le
piment haché et l'ail.

Dans le wok, faites cuire le rumsteck 2 min de chaque côté dans 1 cuil. à soupe
d'huile de sésame. Retirez-le. Réchauffez les pousses de bambou quelques
instants. Coupez le rumsteck en tranches fines. Salez et poivrez.

Garnissez des assiettes avec les légumes, répartissez la viande, arrosez de
sauce et parsemez de menthe et de coriandre.

Variante | Vous pouvez ajouter des vermicelles de riz plongés 1 min
dans de l'eau bouillante. Doublez alors la quantité de sauce soja et de
nuoc-mâm.

Suggestion de menu | En plat de résistance, servez des nouilles sautées
aux crevettes et aux légumes, puis, en dessert, des bananes flambées.

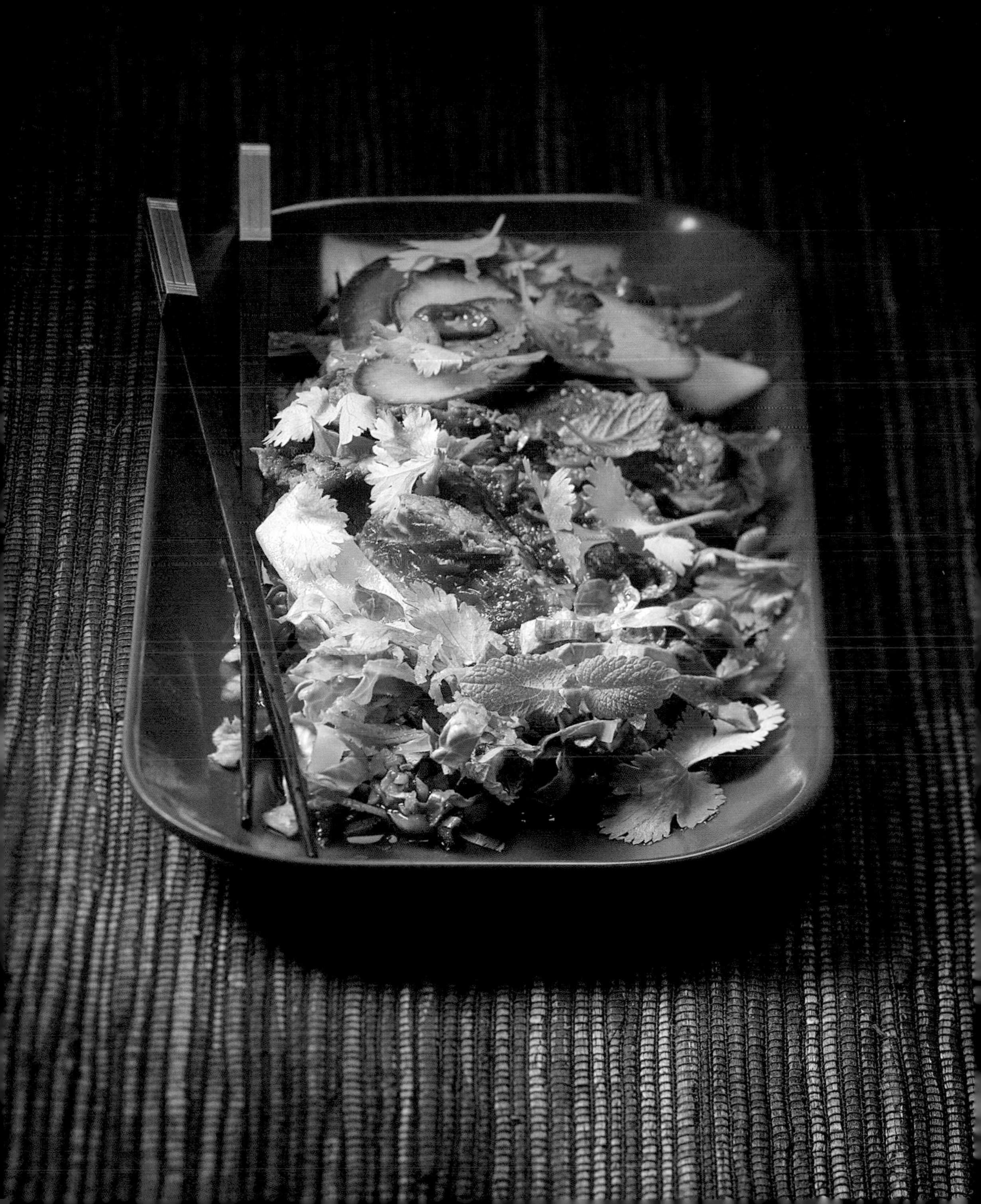

Méli-mélo de poisson et d'ananas au curry

Pour **4 personnes**
Préparation **15 minutes**
Cuisson **15 minutes**
Niveau **très facile**

300 g de lieu noir | 300 g de merlan
6 rondelles d'ananas | 1 oignon | 2 tiges
de citronnelle | 1 cube de court-bouillon
1 cuil. à café de curry | 1 pointe de couteau
de piment en poudre | 2 gousses d'ail
Sel, poivre

Coupez le poisson en gros cubes puis, rincez-les et séchez-les. Épluchez et émincez l'oignon. Coupez les tiges de citronnelle en rondelles.

Dans le wok, diluez le court-bouillon dans 15 cl d'eau froide. Ajoutez le poisson, l'oignon et la citronnelle, et amenez à ébullition. Laissez frémir 10 min. Ajoutez le curry, le piment et l'ail épluché et écrasé. Salez, poivrez et poursuivez la cuisson 5 min. Ajoutez l'ananas et servez avec du riz blanc.

Chou chinois au poulet

Pour **4 personnes**
Préparation **30 minutes**
Cuisson **15 minutes**
Niveau **très facile**

400 g d'aiguillettes de poulet | 500 g
de chou chinois | 6 oignons nouveaux
2 carottes | 2 petits piments rouges
2 gousses d'ail | 1 bouquet de coriandre
35 g de cacahuètes | Le jus de 1 citron
vert | 4 cuil. à soupe d'huile d'arachide
1 cube de bouillon de volaille | 3 cuil. à
soupe de vinaigre de riz | 2 cuil. à soupe
de nuoc-mâm | 2 cuil. à soupe de sucre
en poudre | Sel

Épépinez les piments et coupez-les finement. Écrasez l'ail. Hachez la coriandre et les cacahuètes. Émincez le chou et les oignons. Râpez les carottes.

Faites revenir le poulet au wok dans l'huile. Parsemez de bouillon émietté. Ajoutez tous les autres ingrédients et faites sauter 7 à 10 min pour des légumes plus ou moins croquants.

Parsemez de cacahuètes et du reste de coriandre.

Nouilles sautées aux crevettes et au gingembre

Pour **4 personnes** | Préparation **15 minutes**
Cuisson **20 minutes** | Niveau **très facile**

500 g de nouilles chinoises | 4 cm de racine de gingembre frais | 4 oignons
2 gousses d'ail | 2 cuil. à soupe de nuoc-mâm | 2 cuil. à soupe de sauce aux
huîtres | 3 cuil. à soupe de sauce soja | 12 grosses crevettes | 1 cuil. à soupe
de graines de sésame | 4 cuil. à soupe d'huile de sésame | Sel, poivre

Épluchez et râpez finement le gingembre. Émincez les oignons et coupez-les
en rondelles. Hachez l'ail. Faites revenir les oignons et l'ail dans l'huile
jusqu'à ce qu'ils soient transparents.

Couvrez de 10 cl d'eau, ajoutez du sel et du poivre, le nuoc-mâm, la sauce aux
huîtres et la sauce soja. Couvrez et faites cuire à feu doux 10 min jusqu'à
absorption complète de l'eau.

Ajoutez le gingembre, les nouilles et les crevettes si elles sont crues, puis
laissez cuire 5 min en remuant. Les crevettes sont cuites lorsqu'elles rosissent.
Si vous utilisez des crevettes cuites, ajoutez-les en fin de cuisson pour les
réchauffer, sinon ajoutez-les avec les nouilles. Servez ce plat parsemé de
graines de sésame.

Variantes | Remplacez les nouilles par du riz cuit. Ajoutez aussi des
fruits de mer variés et remplacez l'eau par du bouillon ou du vin blanc.
Vous pouvez aussi relever le plat d'un peu de persil frais ou d'une pointe
de piment.

Suggestion de menu | Servez avec le canard sauce cacahuètes
(page 32) et offrez, en dessert, des gâteaux au riz et des biscuits
au sésame.

Poisson à la brésilienne

Pour **4 personnes** | Préparation **40 minutes**
Cuisson **30 minutes** | Niveau **très facile**

600 g de filets de poisson (cabillaud, lieu, etc.) | 125 g de cacahuètes
200 g de crevettes séchées | 2 gousses d'ail | 1 oignon | 2 à 3 piments chili
25 cl de lait de coco | 100 g de noix de coco râpée | 150 g de semoule de
maïs | 500 g de crevettes roses décortiquées | 1 bouquet de coriandre
5 cuil. à soupe d'huile d'olive | Sel

Matériel | Mixeur

Pilez les cacahuètes et les crevettes séchées au mixeur. Épluchez l'ail et
l'oignon, et émincez-les. Épépinez les piments et coupez-les en quatre.

Mettez le tout dans le wok avec la moitié de l'huile d'olive et 40 cl d'eau. Salez
et ajoutez le lait de coco, la noix de coco râpée, les crevettes et les cacahuètes
pilées. Amenez à ébullition et laissez frémir 20 min.

Ajoutez la semoule de maïs. Remuez et continuez la cuisson à feu doux en
remuant jusqu'à ce que le mélange épaississe. Ajoutez le poisson, les crevettes
roses, le reste d'huile d'olive et laissez cuire 10 min. Ciselez la coriandre.
Servez bien chaud parsemé de coriandre.

Variantes | Vous pouvez remplacer le poisson par du poulet. Si vous
avez le temps, utilisez une noix de coco fraîche que vous devrez râper
vous-même.

Suggestion de menu | Après un apéritif copieux, servez ce poisson à
la brésilienne en plat unique accompagné de haricots rouges. Terminez
par un assortiment de fruits exotiques.

Gambas à l'aigre-douce

Pour **4 personnes**
Préparation **15 minutes**
Cuisson **10 minutes**
Niveau **très facile**

8 à 12 gambas selon grosseur | 1 oignon
1 poivron jaune | 1 poivron rouge
2 cuil. à soupe de fécule de pommes de
terre | 2 cuil. à soupe de sucre en poudre
1 cuil. à soupe de sauce soja | 1 cuil. à
soupe de sauce Worcestershire | 2 cuil. à
soupe de vinaigre de riz | 2 cuil. à soupe
de ketchup | 1 mangue | 3 cuil. à soupe
d'huile de tournesol | Sel, poivre

Pelez et émincez l'oignon. Épépinez et coupez les poivrons en gros morceaux.

Faites frire les gambas au wok dans l'huile, parsemez de fécule et de sucre. Versez la sauce soja, la sauce Worcestershire, le vinaigre et le ketchup. Salez et poivrez. Ajoutez les poivrons et 4 cuil. à soupe d'eau. Faites cuire 5 min en mélangeant.

Coupez la mangue en tranches et ajoutez-les au wok. Laissez mijoter encore 3 min. Servez avec du riz blanc.

Riz biryani aux cailles et à l'orange

Pour **4 personnes**
Préparation **15 minutes**
Cuisson **40 minutes**
Niveau **très facile**

4 cailles | 2 oranges | 1 oignon
1 poivron | 1/2 cuil. à café de cannelle
en poudre | 1/2 cuil. à café de coriandre
en poudre | 1/2 cuil. à café de cumin en
poudre | 1 dose de safran | 200 g de riz
2 cuil. à soupe d'amandes effilées | 2 cuil.
à soupe de pignons de pin | 3 cuil. à
soupe d'huile de tournesol | Sel, poivre

Rincez et séchez les cailles. Pressez 1 orange et coupez l'autre en tranches.

Au wok, faites dorer les cailles dans l'huile. Retirez-les et remplacez-les par l'oignon et le poivron émincés. Remettez les cailles dans le wok, assaisonnez de sel et d'épices et couvrez d'eau. Laissez mijoter 15 min. Ajoutez 1 demi-verre d'eau et versez le riz. Faites cuire 20 min.

Décorez d'amandes et pignons grillés à sec et de tranches d'orange, et servez.

Tajine d'agneau aux pruneaux et au potiron

Pour **4 personnes**
Préparation **30 minutes**
Cuisson **50 minutes**
Niveau **très facile**

800 g d'épaule d'agneau | 8 à 10 gros pruneaux | 1/2 cuil. à café de cannelle en poudre | 2 oignons | 300 g de potiron 1 cuil. à café de cumin en poudre 2 cuil. à soupe de sucre | 2 cuil. à soupe de vinaigre de vin rouge | 30 g de beurre Sel, poivre blanc

Faites tremper les pruneaux dans un bol d'eau.

Coupez la viande en petits cubes et faites-la revenir au wok avec le beurre, la cannelle, du sel et du poivre. Ajoutez les oignons émincés et couvrez d'eau. Faites cuire à feu doux et à couvert 30 min.

Épluchez le potiron et coupez-le en cubes. Ajoutez-les avec les pruneaux égouttés et une tasse d'eau. Ajoutez le cumin, le sucre et le vinaigre, et laissez cuire 15 min. Servez chaud.

Soupière de blé au poulet d'Orient

Pour **4 personnes**
Préparation **20 minutes**
Cuisson **50 minutes**
Niveau **très facile**

1 poulet coupé en 8 morceaux | 2 oignons 2 cuil. à café de coriandre en poudre 1 cuil. à café de gingembre en poudre 2 yaourts | 300 g de grains de blé entiers | 50 g de beurre | Sel, poivre

Épluchez et émincez les oignons. Faites-les revenir au beurre dans le wok chaud.

Ajoutez les morceaux de poulet, les épices, salez, poivrez et mélangez. Versez 50 cl d'eau et laissez frémir à couvert 25 min.

Ajoutez les yaourts et mélangez. Versez 75 cl d'eau, amenez à ébullition et ajoutez le blé. Faites cuire environ 25 min à feu moyen sans couvrir.

Servez chaud accompagné d'une salade, de yaourt et de piments, pour les amateurs.

Millet au jambon et aux noix de cajou

Pour **4 personnes** | Préparation **15 minutes**
Cuisson **50 minutes** | Niveau **très facile**

100 g de dés de jambon | 1 poivron rouge | 1 oignon rouge | 200 g de dés de lardons fumés | 2 cuil. à soupe de miel | 2 cuil. à soupe de vinaigre de cidre | 150 g de millet | 50 g de maïs cuit | 50 g de haricots rouges cuits 2 cuil. à soupe de noix de cajou | 2 cuil. à soupe d'huile de tournesol | Sel, poivre

Coupez le poivron en dés et l'oignon en rondelles. Faites dorer les lardons dans l'huile. Ajoutez le jambon, le poivron et l'oignon et mélangez. Salez et poivrez. Versez le miel, le vinaigre et 50 cl d'eau. Amenez à ébullition et ajoutez le millet. Couvrez et laissez cuire à feu doux 35 min.

Incorporez le maïs et les haricots rouges, et poursuivez la cuisson de 5 min. Rectifiez l'assaisonnement si nécessaire. Décorez de noix de cajou grillées à sec et servez bien chaud.

Variantes | Remplacez le jambon par des aiguillettes de canard ou des cubes de bœuf, et le millet par du quinoa, du riz ou du blé.

Suggestion de menu | Commencez le repas par une salade aux avocats et aux crevettes, et terminez par une crème brûlée à l'orange.

Cabillaud sauté au riz parfumé et aux champignons noirs

Pour **4 personnes** | Préparation **20 minutes**
Cuisson **30 minutes** | Niveau **très facile**

600 g de cabillaud | 150 g de riz parfumé | 4 cuil. à soupe de champignons noirs séchés | 5 cuil. à soupe de sauce teriyaki | 4 oignons nouveaux 2 gousses d'ail | 1 piment rouge | 3 cuil. à soupe de farine | 200 g de pousses de bambou | 5 cuil. à soupe d'huile de sésame | Sel, poivre

Faites tremper les champignons dans un bol d'eau chaude pendant 15 min. Égouttez-les. Nettoyez les oignons, épluchez les gousses d'ail et épépinez le piment. Hachez le tout finement. Égouttez le poisson, recouvrez-le de farine mélangée à du sel et du poivre.

Rincez, séchez et coupez le poisson en gros morceaux. Arrosez-les de la moitié de la sauce teriyaki et réservez à température ambiante.

Faites cuire le riz à l'étuvée dans 2 fois son volume d'eau pendant 15 min. Laissez refroidir et égrenez-le avec une fourchette.

Faites frire le poisson au wok dans la moitié de l'huile de sésame. Retirez-le et nettoyez le wok avec un papier absorbant. Dans le wok propre, faites sauter les oignons, le piment, les champignons et les pousses de bambou égouttés, le riz et les gousses d'ail dans l'huile restante. Ajoutez le reste de sauce teriyaki et le poisson. Salez et poivrez avant de servir.

Variantes | Remplacez le cabillaud par du lieu ou du merlan et variez les légumes selon votre goût.

Suggestion de menu | Débutez le repas avec une salade de pousses de soja et de calamars, et terminez avec un tiramisu aux lychees.

Petits calamars à l'encre

Pour **4 personnes** | Préparation **20 minutes**
Cuisson **1 heure** | Niveau **difficile**

1 kg de calamars (tentacules et poches d'encre conservés) | 1 gros oignon
3 tomates | 10 cl de vin blanc | 1 gousse d'ail | 200 g de riz de Camargue
2 cuil. à soupe de pulpe de tomate | 1 cuil. à soupe de câpres | 30 g de
pignons de pin | 3 cuil. à soupe de persil haché | 30 g d'amandes effilées
3 cuil. à soupe d'huile d'olive | Sel, poivre

Rincez, puis essuyez les poches et les tentacules des calamars. Épluchez l'oignon et hachez-le. Pelez, épépinez et coupez les tomates en petits dés. Hachez les tentacules et coupez les calamars en lamelles.

Faites revenir, au wok, les oignons, les tentacules et les lamelles de calamars dans l'huile pendant 5 min. Salez, poivrez et mouillez avec le vin blanc et la pulpe de tomate diluée dans 1 demi-verre d'eau. Écrasez la gousse d'ail et mélangez-la à la préparation. Faites mijoter pendant 30 min.

Ajoutez le riz et l'encre, couvrez et poursuivez la cuisson 20 min.

Égouttez les câpres. Mélangez-les avec les pignons de pin, les amandes et le persil haché. Ajoutez à la préparation avant de servir bien chaud.

Variante | Vous pouvez préparer les calamars sans encre et faire cuire le riz à part.

Suggestion de menu | En entrée, préparez une salade de tomates au basilic et pour le dessert un carpaccio d'oranges à la cannelle.

Filets de dinde au caramel

Pour **4 personnes**
Préparation **15 minutes**
Marinade **30 minutes**
Cuisson **15 minutes**
Niveau **très facile**

600 g de filets de dinde | 1 gousse d'ail
2 échalotes | 1 cuil. à café de sucre en
poudre | 1 oignon | 2 cuil. à soupe
d'huile de sésame | 2 cuil. à soupe de
caramel liquide | 2 cuil. à soupe de sauce
soja | 2 cuil. à café de graines de sésame
Sel, poivre du moulin

Détaillez la viande en lanières. Écrasez
l'ail et hachez les échalotes. Faites
mariner la viande 30 min à température
ambiante avec l'ail, les échalotes, le
sucre, du sel et du poivre.

Pelez et taillez l'oignon en rondelles.
Faites-les colorer au wok dans l'huile
chaude. Ajoutez la viande, le caramel et
la sauce soja. Mélangez et faites cuire à
feu doux 10 min.

Servez ce plat parsemé de graines de
sésame grillées à sec dans une poêle.

Gigot d'agneau aux « baby » légumes

Pour **4 personnes**
Préparation **10 minutes**
Cuisson **10 minutes**
Niveau **très facile**

4 tranches de gigot d'agneau (700 à
800 g) | 150 g de mini-carottes
100 g d'oignons grelot | 100 g de pois
gourmands | 150 g de mini-épis de
maïs | 1 cuil. à soupe de Maïzena
10 cl de vin blanc | 2 cuil. à soupe de
crème fraîche | 2 cuil. à soupe d'estragon
ciselé | 2 cuil. à soupe d'huile d'olive
Sel, poivre

Tranchez le gigot d'agneau en fines
aiguillettes. Épluchez les carottes et les
oignons. Préparez les pois gourmands.

Faites revenir la viande et tous les
légumes au wok pendant 5 min dans
l'huile chaude. Salez, saupoudrez de
Maïzena et mouillez avec le vin blanc.

Ajoutez la crème fraîche et laissez
mijoter 5 min. Parsemez d'estragon et
servez avec des pommes de terre à l'eau.

Saumon au basilic
et au vinaigre balsamique

Pour **4 personnes** | Préparation **15 minutes**
Marinade **30 minutes** | Cuisson **5 minutes** | Niveau **très facile**

800 g de pavés de saumon | 1 bouquet de basilic | 2 belles tomates
2 petites échalotes | 3 cuil. à soupe de vinaigre balsamique | 3 cuil. à soupe
d'huile d'olive | Sel, poivre

Éliminez les arêtes et la peau du saumon. Rincez et séchez le poisson. Coupez-le en bâtonnets.

Équeutez et ciselez le basilic. Hachez finement les échalotes. Coupez les tomates en petits dés. Mettez le tout dans un saladier avec le vinaigre balsamique et la moitié de l'huile d'olive. Mélangez. Faites mariner les morceaux de poisson dans la sauce pendant 30 min au frais.

Faites chauffer le reste d'huile dans le wok et saisissez le saumon à feu vif pendant environ 5 min en remuant délicatement. Ajoutez la marinade, salez, poivrez et servez.

Conseil | Cette recette recommande de ne pas trop cuire le poisson de façon à le conserver rosé et à peine cuit en son milieu. Ainsi, il reste moelleux.

Variantes | Remplacez le saumon par du thon ou du bar et ajoutez des petits bouquets de brocolis *al dente*.

Suggestion de menu | Commencez le repas par une soupe d'avocat à la coriandre et terminez par un cheesecake au citron.

Tagliatelles
aux noix de saint-jacques

Pour **4 personnes** | Préparation **15 minutes**
Cuisson **10 minutes** | Niveau **très facile**

400 g de tagliatelles | 8 noix de saint-jacques | 1 échalote | 1/2 cuil. à café de cumin en poudre | 1/2 cuil. à café de coriandre en poudre | 3 cuil. à soupe de crème fraîche | 2 cuil. à soupe de vin blanc | 20 g de beurre 2 cuil. à soupe d'huile végétale | Sel, poivre

Faites cuire les tagliatelles *al dente* dans de l'eau bouillante salée. Égouttez-les et mélangez-les au beurre. Réservez au chaud.

Épluchez et émincez l'échalote. Dans le wok, faites-la blondir 5 min avec l'huile. Salez et poivrez. Ajoutez les noix de saint-jacques et faites-les cuire 40 s d'un côté, puis 40 s de l'autre. Saupoudrez de cumin et de coriandre. Ajoutez la crème fraîche. Faites cuire 1 min.

Déglacez au vin blanc et ajoutez les tagliatelles. Remuez pendant 1 min et rectifiez l'assaisonnement si nécessaire.

Répartissez les pâtes dans quatre assiettes de service chaudes, avec 2 noix de saint-jacques par assiette.

Variantes | Remplacez les noix de saint-jacques par des pétoncles ou d'autres coquillages, et ajoutez des champignons émincés et revenus dans du beurre.

Suggestion de menu | En entrée, servez un carpaccio de champignons et d'avocat, et en dessert, une mousse aux fruits rouges.

Bœuf aux oignons

Pour **4 personnes**
Préparation **15 minutes**
Cuisson **20 minutes**
Niveau **très facile**

600 g de bœuf (tranche à fondue ou rumsteck) | 3 gros oignons | 2 cuil. à soupe de fécule de pommes de terre 1 cuil. à café de sucre | 2 cuil. à soupe de sauce soja | 2 cuil. à soupe de vinaigre de vin blanc | 3 cuil. à soupe d'huile d'arachide | Sel, poivre

Coupez la viande en fines lamelles. Faites-les sauter 2 min au wok dans l'huile chaude. Retirez avec une écumoire.

Épluchez et émincez les oignons et faites-les revenir 5 min dans la même huile que la viande tout en remuant. Saupoudrez de fécule et de sucre. Mouillez avec la sauce soja et le vinaigre. Salez, poivrez et ajoutez 10 cl d'eau. Laissez mijoter pendant 10 min.

Au dernier moment, ajoutez les lamelles de viande, remuez rapidement pour les réchauffer et servez sans attendre.

Crevettes croustillantes au tahiné

Pour **4 personnes**
Préparation **20 minutes**
Cuisson **5 minutes**
Niveau **facile**

16 à 20 crevettes crues décortiquées 2 œufs | 2 cuil. à soupe de Maïzena 3 cuil. à soupe de chapelure | Huile de friture | Sel, poivre

Pour la sauce tahiné | 3 cuil. à soupe de tahiné (crème de sésame) | 3 cuil. à soupe de jus de citron | Sel

Battez les œufs en omelette avec du sel et du poivre. Trempez les crevettes une à une dans la Maïzena, puis dans l'œuf battu, puis dans la chapelure.

Mélangez les ingrédients de la sauce dans un bol avec 5 cuil. à soupe d'eau.

Faites frire les crevettes au wok dans un bain d'huile chaude, puis laissez égoutter sur du papier absorbant. Servez chaud avec la sauce tahiné.

Risotto *al pesto*

Pour **4 personnes** | Préparation **30 minutes**
Cuisson **25 minutes** | Niveau **très facile**

200 g de riz à risotto | 2 gousses d'ail | 2 échalotes | 1 petit bouquet de basilic | 75 cl de bouillon de poulet | 30 g de beurre | 15 cl de vin blanc sec | 120 g de parmesan râpé | Sel et poivre du moulin

Épluchez, puis hachez l'ail et les échalotes. Équeutez, lavez et ciselez le basilic. Rincez le riz, puis égouttez-le. Portez le bouillon à ébullition sur feu moyen.

Dans le wok, faites revenir les échalotes et l'ail avec le beurre. Ajoutez le riz et poursuivez la cuisson de 2 min. Arrosez de vin et faites cuire 3 min. Salez et poivrez. Réglez le feu à moyen-doux. Incorporez petit à petit le bouillon de poulet chaud au riz en remuant continuellement. À mesure que le liquide s'évapore, ajoutez du bouillon à hauteur d'une demi-tasse à la fois toujours en remuant. C'est le secret d'un risotto onctueux.

Poursuivez la cuisson d'environ 15 min. Ajoutez le parmesan et le basilic 2 min avant la fin de la cuisson. Mélangez bien le risotto et servez chaud.

Variante | Vous pouvez préparer un risotto aux champignons en faisant revenir 200 g de champignons frais dans un peu de beurre. Ajoutez-les après que le riz a absorbé le bouillon.

Thon et brocolis à la vapeur

Pour **4 personnes**
Préparation **15 minutes**
Cuisson **10 minutes**
Niveau **très facile**

700 g de thon | 1 gros pied de brocoli
2 oignons nouveaux | 1 cuil. à café de
sucre en poudre | 1/2 cuil. à café de
piment en poudre | 2 cuil. à soupe de jus
de citron vert | 50 cl de fumet de poisson
3 cuil. à soupe de coriandre ciselée | 1 cuil.
à soupe d'amandes effilées grillées | Sel,
poivre

Matériel | Panier vapeur en bambou

Coupez le thon en cubes moyens. Salez
et poivrez. Lavez les oignons et le
brocoli. Hachez les oignons et détaillez
le brocoli en petits bouquets.
Assaisonnez de sucre, piment, jus de
citron, sel et poivre.

Versez le fumet dans le wok. Placez les
légumes dans le panier vapeur et posez-
le au-dessus du wok. Fermez-le et faites
cuire 5 min. Ajoutez le poisson et laissez
cuire 5 min. Parsemez de coriandre et
d'amandes grillées.

Gambas aux fruits de la Passion

Pour **4 personnes**
Préparation **15 minutes**
Cuisson **10 minutes**
Niveau **très facile**

16 gambas | 2 oignons | 2 ciboules
3 fruits de la Passion | 1 orange
1 pointe de couteau de piment | 2 cuil.
à soupe d'huile d'arachide | Fleur de sel

Décortiquez les gambas et retirez
l'intestin. Pelez et émincez les oignons
et les ciboules. Détachez la chair des
fruits de la Passion. Pressez l'orange et
récupérez son zeste.

Dans le wok, faites revenir les oignons et
les ciboules dans l'huile. Ajoutez les
gambas et faites-les colorer en remuant.

Ajoutez la chair des fruits de la Passion,
le zeste, le jus d'orange et le piment.
Mélangez et laissez réduire sur feu
moyen pendant 5 min. Saupoudrez de
fleur de sel et servez aussitôt.

Omelette aux flocons de quinoa et aux chipolatas

Pour **4 personnes** | Préparation **10 minutes**
Cuisson **30 minutes** | Niveau **très facile**

8 œufs | 150 g de flocons de quinoa | 3 chipolatas | 6 cuil. à soupe de lait
1 cuil. à soupe de cerfeuil ciselé | 1 gros oignon | 3 cuil. à soupe d'huile de
cuisson (tournesol, colza, etc.) | Sel, poivre

Faites cuire le quinoa dans deux fois son volume d'eau salée pendant 20 min jusqu'à ce que toute l'eau soit absorbée. Laissez tiédir.

Battez les œufs en omelette. Ajoutez le lait, le sel et le poivre, puis le quinoa cuit et le cerfeuil ciselé. Mélangez. Épluchez et émincez finement l'oignon. Coupez les chipolatas en gros tronçons.

Faites chauffer l'huile dans le wok et faites revenir l'oignon pendant 5 min tout en remuant. Ajoutez les chipolatas et mélangez. Versez la préparation aux œufs et faites cuire à feu moyen pendant 3 à 5 min.

Servez avec des rondelles de tomates et des quartiers d'avocats.

Variantes | Vous pouvez remplacer le quinoa par des cubes de pommes de terre bouillis, et les chipolatas par des merguez.

Suggestion de menu | Pour un repas léger, servez avec une grande salade verte et terminez avec une charlotte au chocolat.

Carpaccio de bœuf poêlé

Pour **4 personnes** | Préparation **15 minutes**
Congélation **30 minutes** | Cuisson **3 minutes** | Niveau **très facile**

500 g de filet de bœuf | 1 bouquet de basilic | 2 gousses d'ail | 100 g de pignons de pin | 1 citron | 350 g de champignons de Paris | 250 g de mesclun 100 g de parmesan en morceau | 6 cuil. à soupe d'huile d'olive | Sel, poivre

Matériel | Mixeur

Enveloppez le filet de bœuf bien serré dans du film alimentaire et entreposez-le au congélateur pendant 30 min.

Équeutez, rincez et séchez le basilic. Épluchez et écrasez les gousses d'ail. Mixez le tout avec 80 g de pignons de pin, la moitié de l'huile d'olive, le jus du citron, du sel et du poivre. Réservez.

Nettoyez et séchez les champignons de Paris, puis émincez-les.

Retirez la viande du congélateur et coupez-la en fines lamelles. Saisissez-les au wok à feu vif dans le reste d'huile pendant 2 min tout en remuant. Ajoutez la moitié de la sauce, les champignons et mélangez encore 2 à 3 min.

Pour servir, répartissez la viande sur un lit de mesclun assaisonné du reste de la sauce. Prélevez de fins copeaux de parmesan et répartissez-les sur la viande. Parsemez le tout des quelques pignons restants.

Variante | Vous pouvez remplacer le bœuf par de fines escalopes de veau ou de poulet en les faisant plus cuire que le bœuf.

Suggestion de menu | En entrée, servez un millefeuille d'aubergines et de mozzarella et terminez le repas par une délicieuse panna cotta aux fruits rouges.

Manuela Chantepie remercie :
Janine Cros : 11, rue d'Assas – 75006 Paris – 01 45 48 00 67 ;
Christiane Perrochon : christianeperrochon.com ;
Isabelle de Margerie : idemargerie.com ; 50, rue Jean-Pierre-Timbaud – 75011 Paris ;
CMO : 5, rue de Chabanaix – 75002 Paris – 01 40 20 45 98.

Pour l'éditeur, le principe est d'utiliser des papiers composés de fibres naturelles, renouvelables, recyclables et fabriquées à partir de bois issus de forêts qui adoptent un système d'aménagement durable. En outre, l'éditeur attend de ses fournisseurs de papier qu'ils s'inscrivent dans une démarche de certification environnementale reconnue.

Direction : Jean-François Moruzzi
Direction éditoriale : Pierre-Jean Furet
Édition : Anne Vallet
Conception intérieure et couverture : Patrice Renard
Réalisation intérieure : MCP
Corrections : Mélanie Le Neillon
Fabrication : Amélie Latsch

Responsable partenariats : Sophie Morier au 01 43 92 36 82

Dépôt légal : septembre 2010
23-03-0220-01-6
ISBN : 978-2-0123-0220-4
Impression : Graficás Estella, Espagne.

Pour trouver le meilleur vin qui accompagnera chacune des recettes de ce livre et savoir comment le servir, rendez-vous sur Hachettevins.com. Le site de référence. **HACHETTE** VINS.com